"亮丽内蒙古"文化普及口袋书

U0102871

边塞长城

田宏利 ◎ 编著

内蒙古人民出版社

图书在版编目（CIP）数据

爱上内蒙古. 边塞长城 / 田宏利编著. — 呼和浩特：内蒙古人民出版社，2021.10
（"亮丽内蒙古"文化普及口袋书）
ISBN 978-7-204-16891-0

Ⅰ. ①爱… Ⅱ. ①田… Ⅲ. ①内蒙古－概况②关隘－介绍－内蒙古③长城－介绍－内蒙古 Ⅳ. ① K922.6 ② K928.77

中国版本图书馆 CIP 数据核字（2021）第 215676 号

爱上内蒙古·边塞长城

作　　者	田宏利
策划编辑	王　静
责任编辑	石　煜
封面设计	吉　雅
出版发行	内蒙古人民出版社
地　　址	呼和浩特市新城区中山东路 8 号波士名人国际 B 座五层
网　　址	http://www.impph.cn
印　　刷	内蒙古恩科赛美好印刷有限公司
开　　本	889mm×1194mm　1/48
印　　张	2.375
字　　数	45 千
版　　次	2021 年 10 月第 1 版
印　　次	2023 年 2 月第 1 次印刷
书　　号	ISBN 978-7-204-16891-0
定　　价	10.00 元

如出现印装质量问题，请与我社联系。
联系电话：（0471）3946120

编 委 会

 **电子书库** 📖

阅读本丛书全部电子书，全方位了解内蒙古。

看 纪录片 ▶

从影视作品中了解内蒙古的历史文化。

赏析 蒙古族长调艺术 🎵

聆听蒙古族长调民歌，带你领略蒙古族音乐的独特魅力。

 **旅行交流圈**

聊聊你眼中的内蒙古。

📖 微信扫码

序

内蒙古是一个走进去就会爱上她的地方。

这里有辽阔壮美的天然草原——呼伦贝尔草原无边无际，科尔沁草原绿草如茵，鄂尔多斯草原草长莺飞，阿拉善荒漠草原苍茫神秘；有我国面积最大的原始林区——大兴安岭林海莽莽苍苍，美景如画；有生态类型多样的世界地质公园——阿尔山世界地质公园里有亚洲面积最大的火山地貌景观，克什克腾世界地质公园是我国北部环境演化的自然博物馆，阿拉善沙漠世界地质公园中的沙漠景观、戈壁景观、峡谷景观和风蚀地貌景观交相辉映。

这里也是"歌的海洋""酒的故乡""舞蹈的天堂"——一首首歌曲犹

如一泓清澈的甘泉，从苍茫遥远的天边流泻而来；一杯杯美酒醇香甘甜，醉人心田；一支支舞蹈激情澎湃地舞动着青春的活力，舞动着生命的力量。这里还有丰富多样、风味独特的美食佳肴，有悠久灿烂的地域文化及独具魅力的民俗风情，有蒙汉合璧、别具匠心的宏伟建筑，有革命历史文化底蕴深厚的庄严肃穆的红色旅游胜地……

这些都是内蒙古以昂然之姿向世人展示自己的美丽的底气。这套《"亮丽内蒙古"文化普及口袋书》策划的初心和使命，就是从自然景观、人文景观、民俗文化、地域文化、饮食文化及红色旅游、城区建设等多个方面展现内蒙古自治区的亮丽风采以及各族人民在中国共产党的正确领导下，始终坚定地沿着中国特色社会主义道路奋勇前进，共同团结奋斗、共同繁荣发展的崭新时代风貌。

假如这般如诗如画的美景和悠久璀璨的历史文化还不足以打动你，那么，请到内蒙古来吧，生活在这片土地上的勇敢、诚信、友善的各族人民将带你深入领略内蒙古经济发展、社会进步、文化繁荣、民族团结、边疆安宁、生态文明、人民幸福的亮丽风景线，为你提供 N 个爱上内蒙古的理由。

扫码查看
★ 同系列电子书
★ 内蒙古纪录片

目　录

阴山门户鸡鹿塞

　　两千年前，每逢兵强马壮的匈奴兵士横越阴山、挥师南下时，阴山山脉中的数十条山谷，就成了向大汉王朝传递不安信息的通道，同时，这数十条山谷也成为匈奴人策马扬鞭、涌向中原的大通道。

　　对于匈奴人来说，越过阴山，就意味着能够进兵河套，染指中原；对于中原王朝来说，这一道道山谷深邃，就是一条条生命线，守住了，就意味着中原

鸡鹿塞遗址

王朝多了一份安全和保障，失去了，也就意味着距离王权更迭的日子不远了。

因此，自秦汉始，历朝历代的中原王朝，就在这一条条山谷间的高地上开始修筑要塞、防御匈奴。尤其是汉武帝执政期间，在取得击退匈奴的胜利后，更是多次下令，在阴山的诸多谷口依次修建坚固的城塞，并屯以重兵防守。

于是，中原王朝距离都城最为遥远的防御战，便在这一座座古老的军事要塞前拉开了序幕，而这一座座隐藏在山谷中的军事要塞，就成了阻挡匈奴南下的一道道阻碍。鸡鹿塞，就是阴山众多要塞中，处于最西端的一个。

出狼山阿贵庙所在的山口，沿着新修的柏油路一路向东，行至哈隆格乃山谷谷口，就可以看到一座新建的民俗村，房舍均为仿古建筑，村口右侧一块巨石，上书"鸡鹿塞"。过村子折而向北，进入山谷，地面宽阔平坦，散落着沙砾细石，偶有大石挡道，行进不到千米左右，山谷左侧矗立着一座高大的古城塞遗址，

鸡鹿塞边墙

这就是汉朝时把控阴山最西端的边塞门户——鸡鹿塞。

站在古老的军事要塞下,遥望谷内,地势险要,两壁山崖陡峭,中间是一条宽阔平坦的行军大道。

这里虽然名为"塞",其实就是一座石砌的小城。小石城为正方形,位于谷口高地。小城边长近70米,四角有加固工事。城塞墙垣已经由地方政府进行了维护和修缮,大体完好。

站在塞下,抬头仰望高七八米的墙垣,可以看到有今人搭建的木板栈道,由坡底通向高地，走进塞内，有石砌道直达城墙。不难想象，那时站立城墙上的士兵是带着怎样高度的警惕或惶恐，紧紧盯着谷内方向，一旦发现来敌，便有了白天放狼烟、晚上点烽火的战时烽燧警报系统。

历史的真实场景不可复原，现代人走进这里，只能漫步于古老的石头城内，偶尔会无意间发现些许铁块、陶片，从汉朝到西夏时期，这里一直就没怎么安静过。因此，地面上的铁块、陶片是哪个朝代的，并不重要，重要的是这里留存着延续千年的战火遗迹，它们为中原王朝扮演了千年的阴山西门户守卫角色。

站在城墙上，千年间的山风劲吹，历史的温度消退了，甚至因为少有人来而透出一种冰冷，但石头的力度依然在，脚下依然感觉坚固无比。俯视谷底，顿有居高临下之感；远看西北谷中，数里之外尽收眼底。环顾四周，不由得赞叹古人对于选择防御地势的精明。

他们当时选择石城所在位置时，充

分考虑到了此地便于瞭望、防守、传递信息和出入等有利条件。

据史料载，汉元帝时期，匈奴呼韩邪单于亲自到长安与汉修好，返程的时候，汉朝遣官兵将其护送到鸡鹿塞出朔方；汉和帝时期，汉朝大将窦宪大破匈奴，也是从鸡鹿塞进军漠北的。

鸡鹿塞，就这样定格在了汉朝的烽火狼烟之中。

险关险要高阙塞

扫码查看
★同系列电子书
★内蒙古纪录片

阴山南北贯通的一条条沟谷，自古以来都建有军事要塞，《史记·匈奴列传》称之为"当路塞"。所筑墙垣或衔接险陡的峭壁，或通连缓坡至高峰，或因山制险将峪谷通路卡死，形成扼守的咽喉，使天然的边塞如铜墙铁壁一般。

在内蒙古自治区乌拉特后旗那仁宝力格苏木那仁乌博尔嘎查，乌拉山与狼山之间，一个紧扼山口的高坡上坐落着一处险关要塞——高阙塞。

高阙塞东侧是达巴图沟，西侧是查干沟。

目前存留的高阙塞遗址由两部分构成：北城略成方形，边长约 40 米，城墙系用较大鹅卵石垒砌而成。南城为长方形，东西长约 60 米，南北宽近 50 米，城墙较窄，曾出土汉代的铁釜、铁甲片和箭头等遗物。南北两城的建筑风格明显不同，可见并非同时代一次修筑。有专家推断，古城北侧方形小城为赵武灵王所筑之高阙，而南城应是汉代沿用时扩筑的城池。

强秦短命，楚汉相争，匈奴的冒顿单于东破东胡，西逐月氏，南并楼烦、白羊河南王，越过阴山，进入长城以南，收复了秦时被蒙恬夺走的全部地盘。高阙塞所处的位置，便是匈奴必经的关口之一。再后来，南下的匈奴一路高歌猛进，兵临晋阳城下，汉高祖刘邦亲自率兵北击匈奴，结果中了冒顿之计，在白登被围七日，据说还是陈平使间，以厚礼贿赂冒顿的夫人阏氏才得以脱身。

汉朝和匈奴之势到了汉武帝时才有改观。大将军卫青率十余万大军出朔方、高阙北进击胡。匈奴右贤王得知消息之后，认定汉军一定翻过不了阴山重峦，于是依旧终日畅饮美酒，纵马游猎，不料汉军出塞六七百里，趁夜突袭右贤王所部。右贤王仓皇逃走，诸精骑随后遁去。骄纵的匈奴自信过了头，栽了大跟头。后来，匈奴分裂成南北两部，南匈奴内附汉朝，北匈奴远遁漠北。从此，汉朝得以再次驻守阴山一线，于高阙塞、鸡鹿塞等布置重兵守卫。

　　长城边塞其实只能起一时之用，大多时候还需要兵强马壮，战力超常。匈奴是游牧民族，生产力水平较低，主要靠游牧狩猎为生，遇到天灾人祸危及生存时，必然要南下寻找资源补充。而阴山的树木不仅可以为匈奴军队提供弓矢，也可以用来打造车辆与穹庐（军帐），所以阴山一线的各路关口，是匈奴和中原政权的必争之地。匈奴的兵马一旦突破各路要塞，就可以直接进入一马平川的河套平原，后面的守军再无险要地形可做依托，虽然向南还有黄河天险建构

的第二道防线，但是黄河防线显然并不牢靠，这从匈奴人动辄就进入"河南地"（即河套地区）的史实可以得见。

于是，高阙塞和鸡鹿塞一样，被牢牢定格在历史的狼烟烽火之中，穿过千年的岁月依旧巍然耸立。

弱水边城居延塞

　　"居延"是个古老的地名。相传在额济纳河下游一带，是《山海经》中"居繇国"的所在地，春秋时期，西戎部族的一支栖居于此，中原人便以"居繇"的同音，称其为"胸衍戎"。待到秦汉，此地又被匈奴控制，音译其为"居延"，并沿用至今。

　　至于居延的范围，大抵涵盖了额济纳河流域以及由它汇成的居延海一带。

黑城佛塔（局部）

而在"军事地理"中，居延则专指额济纳河的尽头——居延海（唐代称居延为居延海，在今内蒙古额济纳旗北部）一带。

提起"居延"，人们总会想起像标杆一样指向天边的汉代烽燧，想起一捧掺和着莴草烽薪的塞墙黄土。古代的弱水蜿蜒流淌在额济纳广阔的土地上，使这里成为西汉最为繁荣富庶的边陲。

西汉汉武帝时期，汉武帝启用伏波大将军路博德，调遣18万人至河西走廊，修筑长城延伸到居延，大兴土木，布防设鄣（城堡），设立居延、休屠两县，并修筑了庞大的居延防御工程。同时还利用居延泽（汉代称居延为居延泽）一带日光充分、土地肥沃的自然条件，在这里开垦良田、放牧牛羊、开渠引水，成功地进行"军屯"，所获之物除满足军需之外还上缴国库。

汉代开发河西走廊后，在居延一带设立了居延都尉和肩水都尉，相当于两个军分区。凡都尉驻地要设城，建都尉府，设置尉丞、侯、千人、司马和僚属。同时，

黑城城外佛塔遗址

还要建立一系列的防御体系，管理数量不等的士兵，守卫烽燧，观察敌情。

当时的防御体系包括今日的额济纳河上游的重要要塞——甘肃金塔的"肩水金关"，这是我国现有的一座汉代边塞关城。其他比较著名的军事防御要塞有东北方向的"雅布赖城——居延都尉府"、西南方向的"大湾城——肩水都尉府"，如今略存遗迹的还有"橐他塞遗址""广地塞遗址""卅井塞遗址""甲渠塞遗址""居延塞遗址""珍北塞遗址""居延城""红城"等。另有300多座城郭、烽燧，呈严密的"工"字形排列，它们阅尽人世沧桑，如今无一例外地矗立于戈壁尘沙之中，经受着岁月的洗礼。

西汉王莽时期，北地边郡及其烽燧亭障遭到匈奴的破坏。到东汉时，光武帝重振边郡，随着匈奴、乌桓、鲜卑等北方游牧民族不断南徙，汉朝统治者在居延地区设立张掖居延属国。

唐朝之后，居延还曾被回鹘、党项等游牧民族占据，著名的黑城遗址便是

黑城佛塔遗址全貌

西夏驻军之地。

居延边塞，曾是历朝历代君主引兵出征的前沿，也是各民族互通贸易、友好往来的门户。这里曾车马不断，来往不绝，因而也吸引诗人们从千里之外奔居延，吟咏出一首首流传千古的边塞诗句。在众多踏上居延大地的诗人中，唐代著名诗人王维是其中代表之一。他在辽阔的边塞之地写下《使至塞上》："单车欲问边，属国过居延。征蓬出汉塞，归雁入胡天。大漠孤烟直，长河落日圆。萧关逢候骑，都护在燕然。"在这之后的日子里，诗人从肩水金关到居延城外，

黑城佛塔与城墙遗址（局部）

从龙城古道到居延河畔，又写出了《出塞作》等描写居延的边塞诗。

清朝时期，发生在居延的事件便是土尔扈特的回归和额济纳旗的设立。土尔扈特原是清朝卫拉特蒙古四部之一，于明末游牧到俄境伏尔加河流域，当时那里人烟稀少，水草丰茂。经历一个世纪，土尔扈特与沙俄的冲突不断升级，土尔扈特部不堪压迫，于清乾隆年间，在其首领渥巴锡汗率领下，冲破沙俄的围追堵截，历经千辛万苦，回归祖国。电影《东归英雄传》反映的便是这桩史诗般的壮举。

土尔扈特部落回归的一支，被清政府安置于居延一带，并专设立额济纳旗为其游牧之地。盟旗制度诞生于清朝时期，盟相当于市或地区，旗相当于县，额济纳旗现属于内蒙古阿拉善盟。额济纳之所以出名，不仅因为这里有古居延要塞，拥有世界仅存的三大胡杨林之一，还在于居延泽与罗布泊、古国楼兰一样，是与古丝绸之路联系在一起的、有着悠久历史和深厚文化积淀的地方。

　　20 世纪初，瑞典探险家斯文·赫定与中国学术团体协会组成的西北科学考察团，在额济纳河流域调查居延烽燧遗址时，发现大量汉代简牍，这是纸张发明前书写于木片上的文字，真实记载了当时居延地区政治、军事、经济情况。因出土于居延，便被称为居延汉简。居延汉简的发现，引发了中外学术考古乃至书法文化界的广泛关注。

锦绣长城壮山河

　　长城,是中国古代的军事防御工事,是一道高大、坚固而且连绵不断的长垣,用以限隔敌骑的行动。长城不是一道单独孤立的城墙,而是以城墙为主体,同大量的城、障、亭相结合的防御体系。

　　春秋时期,列国之间为了相互防御,各自挖掘边界沟壑。到了战国时期,随着骑马技术的不断推广,列国之间的疆界演变,发展为垒筑的墙体,这种作为

包头市固阳县境内秦长城遗址

国界的长墙，就是最早的长城，即早期长城。

由于地理和降水的原因，400毫米等降水量是农耕民族和游牧民族的分界线，分界线以南适合农耕，分界线以北降雨稀少，适合游牧。

在游牧和农耕之间，因为生活习惯和生产技术的不同，经常发生冲突是常有的事，可以说中原政权自有文字记录以来，就一直记载着农耕民族和游牧民族之间的各种冲突。

匈奴是居住在我国北方的游牧民族之一，他们长期在蒙古高原上过着逐水草而居的游牧生活，活动于南达阴山、北至贝加尔湖之间。战国后期，匈奴进入奴隶社会，奴隶主贵族利用骑兵行动迅速的优势，经常深入中原，对以农业为主的内地各族人民进行袭扰和掠夺。

"战国七雄"之中的赵、燕、秦三国与匈奴相邻，都在与匈奴的边界之上修筑了长城，分别为战国赵北长城、燕北长城和秦长城，早期长城的构成包含了长城墙体、烽燧、障城等三大要素，这些不同时期的长城在内蒙古境内均有分布。

由于地理位置的原因，内蒙古的长城在修建历史和规模上都是十分突出的。在内蒙古自治区境内分布有战国（赵、燕、秦）、秦朝、西汉、东汉、北魏、隋、北宋、西夏、金、明等多个时期的长城遗存，长城墙体总的绵延长度达 7570 千米，占到了全国长城墙体总长度的近 1/3。

其主要的分布区域为：呼和浩特市秦汉长城、明长城，包头市战国赵北长城、秦汉长城，巴彦淖尔市秦汉长城，乌海市秦长城、明长城，阿拉善盟汉长城、明长城，鄂尔多斯市战国秦长城，赤峰市战国燕北长城，呼伦贝尔市、兴安盟、通辽市、锡林郭勒盟金界壕，乌兰察布市明长城等。

在历史的长河中，长城首先是一道军事防线，它的城墙见证了刀光剑影与炮火连天的岁月，同时也见证了我国古代农耕和游牧文化之间的相互碰撞、相互交融。而今，随着时代的进步、生产力的发展，以及国家的统一和各民族的大团结，长城早已完成了它的历史使命，成为了"但以雄关存旧迹""但留形胜壮山河"的历史遗迹，并以其雄伟壮丽的身姿，装点着华夏大地的锦绣山河，成为中国正北方的一道亮丽风景线。

万里长城自秦始

公元前221年，曾在战国末期叱咤风云的齐、楚、燕、韩、赵、魏等六国，在秦国军队多年的征讨中全部灭亡。中原大地上持续几百年的割据混乱局面宣告结束，中国第一个统一的封建专制中央集权的王朝——秦朝开始登上历史的

乌拉特前旗小佘太长城

舞台。

　　在秦始皇统一中原的过程中，匈奴趁着燕、赵衰落的机会，一步步南侵，占领了黄河河套之地，对秦的后方造成了极大的威胁。

　　秦统一六国后，匈奴对秦的威胁仍然很大。于是，对匈奴用兵，消除匈奴的军事威胁，成为了秦朝统一六国后的

当务之急，秦国对匈奴的征伐也就不可避免。

公元前215年～公元前213年，秦始皇派遣将军蒙恬率军北击匈奴，主动发起了大规模进攻战。

秦国做了多年战争准备，攻击非常猛烈，迅速攻占了河套北部地区，同时在北地、陇西的秦军也向河套南部地区进攻。这场战役巩固了秦朝时期北方的边防，抵御了匈奴的入侵。

公元前212年，为巩固河南地（今内蒙古境内位于黄河干流以南的河套地区），秦置九原郡（郡治九原，今内蒙古包头市九原区）；公元前211年，秦始皇迁3万多户居民到榆中（今内蒙古伊金霍洛旗以北）等地，人们在这里垦田生产，开拓边疆。这次大规模的移民，无论在经济上、军事上均有重要意义。它不仅有力地制止了匈奴的抢掠，而且促进了这一地区的开发，使这里成为了富庶的新秦，成为了抗击匈奴的后方基地。

为防匈奴南下，蒙恬奉命征发大量民工，在燕、赵、秦长城的基础上，修葺、增补、新筑长城，经过十余年的艰苦劳动，终于修筑成了一条万里长城。根据当时的历史环境，长城确保了边防的巩固和国家的安全，给中原农业的生产提供了一个稳定的环境。

这一浩大的工程，直至今天，仍以其雄姿向全世界展示着中华民族悠久的文明。

秦灭六国之初，还不能称之为统一

秋色里的长城边墙

天下，之后驱匈奴、建长城、修直道、征百越才叫统一天下，尤其是修长城这件事，从此之后，华夏的疆域就有了一条基准线。这条线在地图上，在山脊上，更多的是在我们心里，从此我们有了参照物，有了固守的领土，有了心里的防线，有了民族生存和发展的基础。

蒙恬北击匈奴，夺回河套地区，并使该地区永远成为中国版图上的一部分，不仅有力地制止了匈奴奴隶主贵族对中原的抢掠，而且进一步促进了这一地区的发展。在长期的交往和交流中，不少匈奴人南迁中原，逐渐同秦人及其他各族人民共同居住和生产，促进了各民族之间的大融合。

「青城」长城多遗迹

　　我国著名的历史学家翦伯赞先生，于 1961 年到内蒙古考察时，留下了《内蒙古访古》的散记和《登大青山访赵长城遗址》的咏诗，在散记和诗文里都论及了关于长城的史话。

　　大青山脚下的"青城"分布着众多的古长城遗迹：有战国时赵武灵王在大

战国赵长城遗址

青山前坡修筑的赵长城遗址，有秦汉时白道岭长城遗址，有北魏拓跋鲜卑所建的"畿上塞围"长城遗址，隋长城遗址，还有"金界壕"、明边墙等现存的大量古长城遗址。

呼和浩特地区的长城遗迹，大多集中分布在大青山山区地带，从地理位置上可划分为大青山南麓长城、大青山纵向长城、大青山峪口长城和大青山脊岭长城。

大青山南麓东西横亘的长城故址，曾是秦始皇修筑的万里长城的组成部分，由秦朝大将蒙恬修筑的外长城，是我国现存最古老、使用时间最长的长城之一。

南麓长城沿大青山南麓台地构筑，大体方向为东西横亘。长城随主体山脉蜿蜒，或贴山根，或越山麓，或绕突兀于平川的山丘，或跨山前阜岗，酷似一道围山的大墙，保存完好处仍十分壮观。

目前南麓长城分为四段：奎素沟以东段、呼和浩特正北段、此老山以东段、此老山以西段。

奎素沟以东段落，墙垣遗迹较为规整，目前尚有成百上千米的墙垣连贯，是呼和浩特地区保存最完好的地段。这里景色壮观，墙垣与大山之间形成很深的沟壑，最深处有几十米，雨季时山洪下来，就是经过这些沟壑汇聚而流向平原。

站在沟底翘望，峭壁之上的长城断壁高耸"出檐"，仿佛亭台楼阁的双阙；嵌入土层中的部分掩映在灌木丛中，十分醒目，绵延几十里的墙体，阳面裸露的夯土呈耀眼黄色，背阴面草木繁盛，郁郁葱葱。

纵观长城，高大鲜明，远远望去，有苍龙卧岗之势，显现出当年边塞的森严。

峪口长城在面铺窑子沟、奎素沟、小井沟及水磨沟内均有遗存，尤以小井沟峪口长城最为典型，该长城修筑在进沟不远处的水磨村北侧。这里山高谷深，地势险要，恰为水急转弯处，西岸为几十丈的绝壁，东岸为陡坡和高山峻岭，两道墙垣相距100多米，均为土石混筑，南垣一端在绝壁上，另一端攀坡而上，与山脊连成一道防线。

纵向长城位于新城区毫沁营村北部，沿山修至武川县南山境内长城的南端，与大青山南麓长城成"丁"字形交汇，于呼和浩特北郊的坡根底村之东，由山根顺山势陡起，直插山脊平缓地带，尔后沿山丘缓坡迤逦西北而去，穿出山区。这条长城踞高山、临平原，穿越崇山峻岭，登峰远眺，屈曲盘旋，气势宏大，犹如蛟龙凌空，使青山更加壮美。

此外，大青山内还有片石砌筑的长城和因山制险的山谷、山脊长城，形式多样，修筑年代不一，反映了战国至秦汉时期，呼和浩特地区的政治、军事、交通、文化等诸方面的情况及其地位，具有重要的历史价值。

呼和浩特的长城沿线还有烽燧百余座，城障十余座，这些遗迹连同古老的长城一起，成为中华民族古代文明的历史见证者。

黄土夯筑赵长城

　　在包头市区至石拐、五当召弯曲的公路旁，一段又一段不算高的土筑长城时断时续穿行在起伏的山脉间，这便是我国现存最古老、有两千多年历史的战国赵长城。

　　站在固阳县大庙村的山丘上眺望，

赵武灵王"胡服骑射"雕像

隐约可见这段从大庙村起，东向边墙壕村，西向昆都仑区的赵长城遗迹。

沿着边墙壕村东侧的赵长城遗迹一路向东行，可以见到一块刻有"全国重点文物保护单位赵北长城遗址"的石碑。石碑不远处，赵长城遗迹清晰可见。

从石碑处再往东行，赵长城遗址仍然十分明显，再走200多米，长城就断了，断处是一条深沟。深沟东侧，赵长城遗址不见踪影，继续向东寻，走进色气湾村向西望去，赵长城遗址又出现在眼前，这里也立着一块"赵北长城遗址"的石碑。

赵长城为战国赵武灵王时所筑。赵武灵王即位之后，于执政期间在信宫（战国时期赵国信都的宫殿）召集群臣商议了五天五夜，根据赵国弱于齐、秦、魏，而强于中山、代、林胡、楼烦等的实际出发，做出了向北发展的战略决策。

为适应与楼烦、林胡等少数民族作战，赵武灵王做出了"胡服骑射"的重大决策，使得赵国很快走上了一条强兵之路。赵国先后征服了楼烦等部落，领土面积几乎扩大了一倍，在向北夺取大片土地和人口之后，赵国开始修筑了东起代郡，中经阴山，西至高阙的长城。

经由河北省张家口市宣化区，后经尚义县，跨东洋河的赵长城，进入内蒙古境内之后自乌兰察布市兴和县西行，经察哈尔右翼前旗、卓资县至呼和浩特北，沿大青山到达包头，再越昆都仑河绕乌拉山进入后套平原，然后至狼山之中。其遗迹断断续续，时而以山岭为屏障，时而又穿入深山峡谷之中，逶迤曲折，甚为壮观。

阴山赵长城在地理上，基本沿着我国干旱区与湿润区的界线东西延伸，成为农业区和牧业区的一条"物化"的分界线。

跨越两千多年的岁月，如今的赵长城已经与山势景物融为一体，从外观看，遍布荒草的长城仿佛就是山里的土丘，但细节之处依然可以让人感受到这项工程的伟大。在部分遗址的断面上，可以看到其最原始的状态，夯层如树的年轮般清晰可见，每个夯层大概在8~10厘米厚，虽然都是黄土夯制，但由于其中夹杂着不同年代的石料，让各夯层颜色略有不同。

有些赵长城的城墙上被人踩出了一条小路，小路路面泛出光泽，可见当年城墙夯筑的细密。

黄土夯制的古长城显示了古代夯筑工艺的精湛。据史书记载，隋朝以前的长城多是采用版筑夯土墙。版筑夯土墙是我国最早采用的构筑城墙的方法，以木板作模，内填黏土或灰石，层层用杵夯修筑而成。一层土，洒一层水，夯实一层，夹一层石灰，反反复复，直到达到高度、宽度和质量标准。版筑夯土墙的高度一般是底厚的一倍左右，顶部宽度为墙高的四分之一或五分之一，所以这种墙具有一定的承载能力，能抵挡大多数冷兵器（如刀、枪、箭等）的破坏。

土筑的赵长城经千年风雨侵蚀，迄今岿然不动，所以用"固若金汤"来形容这道夯筑的城墙，实至名归。

北魏重鎮

Significant Town of Northern

北魏重镇武川，位于呼和浩特市北偏西三四十公里处，中间隔着大青山，武川通往呼和浩特市的道路，是穿越大青山南北的极少数通道之一。大青山并不险要，但因为山体南北两侧都比较平坦，所以在草原上显得很突兀。因此，大青山自古就成为了隔绝大青山南北的

北魏重镇·武川

天然屏障，而武川，则扼着连通大青山南北的咽喉。

4世纪初，鲜卑族拓跋部在今山西北部和内蒙古等地，建立代国，后被前秦苻坚所灭。淝水之战后，前秦为东晋所败，北方随之分裂，鲜卑拓跋部得到恢复和发展，日渐强大。拓跋珪于386年重建代国，并称王。同年改国号为魏，史称北魏。398年建都于平城（今山西省大同市），399年改号称帝，是为道武帝。后逐步吞并了夏、北燕、北凉，于北魏太武帝太延五年（439年）统一北方。

4世纪末至5世纪初，柔然在蒙古草原上兴起，成为同北魏王朝相对峙的强大势力。北魏天兴五年（402年），柔然社仑自称可汗，势力所及"西则焉耆之地，东则朝鲜之地，北则渡沙漠，穷瀚海，南则临大碛"。北魏志在入主中原，主要敌国是南朝宋。在北魏与南朝宋对峙形势下，柔然的兴起被北魏视为心腹之患。北魏始光元年（424年），柔然首领大檀率6万骑兵深入云中，攻陷盛乐宫。魏太武帝亲自抵御，被柔然骑兵包围。柔然已然成为北魏在北方的严重威胁。

为实现南下的战略意图，避免两线作战，北魏筑长城以防柔然。此长城起自今河北省的赤城，向西至内蒙古自治区五原县境，限制了柔然的南进。然后又在此长城的基础上，在平城（今山西省大同市）北部自东向西，设置了怀荒（今

北魏宣武帝拓跋珪雕像

河北省张北县）、柔玄（今内蒙古自治区兴和县西北）、抚冥（今内蒙古自治区四子王旗东南）、武川（今内蒙古自治区武川县西）、怀朔（今内蒙古自治区固阳县西南）、沃野（今内蒙古自治区鄂尔多斯市杭锦旗南）等六个军事重镇，用以拱卫京都。这些军镇组成了北魏北部疆域的又一道防御线。

北部防线中的重要通道是阴山白道。白道北口即武川镇，白道南端为白道城，武川镇成为北魏北部边界的重要屏障。据有武川，越白道，就可以直下阴山，直取北魏。

驻守武川的镇将，初期大多是皇室贵族，可见其地位的重要。在这之后，柔然南下犯边的记录不少，但越镇南下的记录鲜见。

北魏前期的都城是平城（今山西省大同市），此时以武川为首的代北六镇离都城很近，它们不仅是军事门户，随时提防北方柔然南下，而且还直接拱卫都城，战略地位极高。

北魏孝文帝拓跋宏实行改革，迁都洛阳，将大批鲜卑贵族迁到中原，禁止鲜卑人穿胡服、在朝廷说鲜卑话，提倡鲜卑人穿汉服、说汉话，鼓励鲜卑人与汉人通婚。北魏孝文帝的改革加速了鲜卑等北方游牧民族和汉族的交融，但在孝文帝迁都洛阳以后，六镇因为远离朝廷，地位一落千丈，于是六镇军民的不满情绪开始滋生，后因爆发了动乱，引发了之后北魏局势的动荡。

此后，北魏为镇压各地起义，维护

北魏孝文帝改革场景浮雕

包头市固阳县怀朔古镇城墙遗址

其统治，不得不求助于柔然。

在镇压六镇起义的时候，义军和北魏军都以控制武川等六镇为要。拥有武川镇，实际就等于拥有了军事上的主动权。占有武川镇，就意味着拥有了战事坚强的后方，柔然出兵第一战就是攻克武川，并以此为据点，向西突破，大败义军。

六镇起义动摇了北魏的根基，北魏由此走向末路。不过，与之相对应的却是促进了北方地区各民族之间的大融合，同时在镇压起义的过程中，成长起来了一批军事集团，最为著名的就是武川豪强贺拔度拔，以及跟随贺拔岳的宇文家族。其代表人物宇文泰走上了历史的舞台，在老长官贺拔岳被部将侯莫陈悦所杀之后，时任夏州刺史的宇文泰被拥立接管留下的部队，和当时出自武川的一些军事将领，一起成为西魏的主导。

北魏孝武帝永熙三年（534 年），受权臣高欢所逼，孝武帝逃往关中，投奔宇文泰。后来，宇文泰把以他为首的八位大将，和比他们低一级的十二位将领，并称"八柱国"和"十二大将军"，他们以及他们的后代掌控了西魏和北周的局势，并且在半个世纪后统一了中国。同时也形成了中国历史上赫赫有名的关陇集团，建立了北周、隋、唐三个王朝，掌控中原态势二百年。

巍巍大青山和武川古镇见证了帝业的兴与衰，而今帝业早已不复存在，只有古镇的安详平静和大青山的巍峨依旧。

青山要道白道岭

横亘于蒙古高原南部的阴山山脉，多为崇山峻岭和深谷陡坡。山北是较平坦的高地草原，山南是一马平川的土默特平原。连通大青山南北、最后形成便捷通道的主要有两条沟，一条是位于呼和浩特西北的乌素图沟（古称白道渠），另一条是包头附近的昆都仑河谷（古称石门沟），两条山谷孕育出的大黑河和

旧呼武公路

昆都仑河，几千年来哺育着土默特平原上的人民。

早在秦朝时期，这两条沟谷就对当时抵御北方匈奴具有重要的战略地位，于是秦朝统治者在现今呼和浩特市托克托县古城乡和包头市九原区设立云中郡和九原郡，同时派大将率当时秦朝最精锐的 30 万铁骑驻守九原。

北魏时期，统治者将北魏都城先后建于今天的内蒙古呼和浩特市和林格尔

盛乐园区和山西省大同市，将防范北方柔然的防线放在阴山以北。同时，在今包头市固阳县西南设怀朔镇，以把控昆都仑河谷；在今内蒙古武川县西设武川镇，以把控乌素图沟旁的白道。

后来，人们苦于乌素图沟内山高谷深，大批人员和车马较难于通行的实际，于是便在附近山势较缓地带开辟出一条山道。这条山道有一段为凝灰岩构成的山梁，高出地面 3~6 米，宽 20~30 米，

旧呼武公路一段

南北长 380 米，通行者在很远处就能看到这条白色长带，慢慢地这条白色长带也起到了路标作用。这便是白道名称的由来。

白道修成后，便成为大青山南北交通的主要通道。北魏朝廷为了控制大青山南北的交通，在山谷口南修筑白道城。北魏郦道元在《水经注》中详细记载了白道和白道城所处的地形地貌、历史典故等。同时，因其重要的战略位置，白

道和白道城成为了兵家必争之地。

北齐文宣帝高洋于天保六年（555年）亲自率兵攻打柔然，柔然军队退却时，高洋将部队辎重留于白道，然后以轻骑追击柔然军队，直追至怀朔和沃野两镇，大胜而还。隋文帝于开皇三年（583年）派卫王杨爽率领行军将领，北击突厥沙钵略可汗，在白道大破之；突厥于武德五年（622年）杀刘武周于白道。唐朝时，唐太宗李世民派大将李靖率军迎击突厥，在白道大破敌军后纵兵追击，一直追到

今日的呼武公路

阴山以北，生擒突厥可汗，从此掌控大青山到漠北的广大地区。辽天祚帝保大二年（1122年），金占领辽都南京（今北京市），辽末代皇帝天祚帝耶律延禧从云中（今山西省大同市）逃入夹山（今大青山内蒙古土默特左旗段），在白道击退金军前锋，开始在大青山开展游击战，利用这里的人力、物力和地理环境等有利条件来栖身和固守。

清朝中后期，白道上牛来驼往，川流不息，繁荣之极。当时，旅蒙商的经营区域很广，以蒙古为主，兼及内蒙古西部和新疆北部，向北远达西伯利亚等地，大盛魁、元盛德、天意德等商号都曾在乌里雅苏台、科布多、库伦等地开设分号。一年之中，几乎天天都有旅蒙商的驼队出入白道。在京绥铁路通车以前，在归化城四大驼社登记出售的骆驼多为从白道上往返商用的病驼或疲惫之驼。

中华人民共和国成立后，在多次的翻修道路中，白道被不断取直，如今被呼武公路所取代。

通漠长城尘归土

　　在隋朝统治时期，统治者为防御北方突厥、西北吐谷浑，先后多次修筑长城，多是在秦汉长城的基础上修筑、加固和改造。新修的长城仅有两条，一条是隋文帝开皇五年（585 年），由崔仲方督修的灵武朔方长城，西起今宁夏回族自治区灵武市境内之黄河东岸，东至今陕西省绥德县西南，全长约 350 公里。这条长城由西向东，穿过今鄂托克前旗南部，遗迹尚存。另一条是隋炀帝大业三年（607 年）所筑的长城，亦称通漠长城，

沙土中的长城遗迹

西起今准格尔旗的十二连城，东至今清水河县境内的浑河。站在浑河岸边，但闻流水淙淙。岁月悠悠，在风雨的侵蚀下，这条脆弱的隋长城早已不见踪影，已经看不到地表上的任何遗存了。

据史料记载，隋文帝杨坚于开皇元年（581年），筑汾州（今山西省汾阳市）长城，工期为20天。同年又修临渝（今河北省抚宁县）长城，修筑时间也不长，规模更不大，均在北齐长城的旧基上修缮。隋炀帝杨广继位后，于大业三年（607年）五月，率领50万随从、仪仗、护卫等出塞外巡视。途中考察并决定实施两

通漠长城尘归土

项工程：一是于大业三年（607 年）七月发壮丁百余万筑长城，西起榆林，东至紫河；二是沿长城外修筑御道，宽百步，向东直抵今河北省蓟县，全长 1000 余公里。两项工程共征调数百万人，限 20 天完工。

隋炀帝于大业三年（607 年）五月作规划准备，到同年七月就发丁了。七月当是农历，此月修筑长城，在时令上较合时宜，至于"一旬而罢"，就能按期完工？这就要在规模和质量上大打折扣了。目前虽无这方面的史料佐证，但是可以推测，动用百万余人在地形复杂、地域狭长地带修筑 100 余公里的长城，且工程又紧，按时完不了工就不断"鞭扑"，至"死者十之五六"。如此浩大的工程死伤一半，无奈"作罢"。此时隋炀帝的重心显然已经不在修筑长城上面了，而是在开凿疏通南北的大运河。

草率修筑的隋长城自然遗存很少，究其原因：一是建筑工期短、修造质量差，不坚固的墙体抵不住千年风雨侵蚀；二是明朝将隋长城部分"包装"而"改头换面";三是靠近浑河的长城,因河道改变,自然灾害频发,所以地面上隋长城遗迹逐渐消失。隋灭唐兴,唐朝一统天下,长城在统治者的眼里已不是军事防御线。

在毛乌素沙地南缘,泛白色、呈鱼脊状凸起的隋长城,散发着沧桑之美;在古老的浑河两岸的黄土地上,隋长城早已卸下历史的重负和御敌的盔甲,回归到了黄土地的本色。

明长城边墙、烽火台

通漠长城尘归土

明代边墙贯东西

明朝成化年间，蒙古鞑靼部常常进犯陕北、甘肃一带，皇帝召集大臣讨论防御事宜。大臣们算了一笔账，如果征集 5 万劳工，用 2 个月的时间修葺长城，耗银不过 100 万两；而派出 8 万大军征讨鞑靼入侵者，每年粮草、运费折合银两，总计耗银近 1000 万两，成本高低一目了然。而且，军人可以在长城之内屯田耕种，获取一定的粮食，这就节省了从内地调粮食到前线的巨额成本。于是，有明一朝，皇帝们大多选择了修建长城，我们今天看到的雄伟长城基本都是在明代完工的。

明朝中叶以后，女真兴起于东北地区，不断威胁边境的安全。为了巩固北方的边防，明朝在 200 多年的统治中，几乎没有停止过对长城的修筑工程。

内蒙古南部边缘有两道明长城遗址，主要是大边，明朝时分别属大同镇、山西镇（今山西省偏关县）、延绥镇（今陕西省榆林市）及宁夏镇管领。

在大边北面还有一条明长城，称二道边或次边，南距大边 250 公里，都在内蒙古境内；东端起点在乌兰察布市兴和县平顶山，西至清水河县黄河东岸，全长约 350 公里，墙体均为夯土筑成。

1927 年，在乌兰察布丰镇市隆盛庄镇东山角，当地村民发现了一块石碑，碑文记载："大明洪武二十九年岁次丙子四月甲寅吉月，山西行都指挥使司建筑。"明洪武年间兴筑的这条长城，遗迹尚存，隆盛庄曾是明长城二道边上的重要关口——威宁口，这里曾经商贾云集，热闹非凡。长城在这里翻山越岭，穿涧过河，较为壮观。

清水河县单台子乡最南端的老牛湾，黄河流淌在高耸、挺拔的蛮汉山中，河水流经此地，在这里形成险峻的黄河峡谷，蜿蜒于陡峭山崖上的明长城在这里与黄河交汇。

清水河县境内的明长城有许多称为望楼的军事设施，现多数被毁，保存较为完好的有三座，自东北向西南分别为盆地青的七墩楼、箭牌楼和老牛湾的望河楼。七墩楼，也称徐氏楼，位于清水河县盆地青乡新村的南山上，楼基为锤凿的红色条石，露出地表 16 层，周围建有土筑城堡，用来驻军。箭牌楼距七墩楼 2.5 公里，为明长城上一座骑墙方形砖楼，楼基亦为条石砌基，墙四周开射孔，上层为一开阔平台，四周环以垛口。老牛湾望河楼亦称护水楼，由明嘉靖年间的山西巡抚曾铣所建。明万历年间又在旧基上增高加厚，此楼既有河防又有烽燧之功能。

位于鄂尔多斯市鄂托克前旗毛乌素沙地边缘的明长城，是内蒙古自治区与宁夏回族自治区的分界线，全长 40 多公里，墙体主要为土筑，这段边墙沿线每隔 2 公里就有一座或两座烽火台，长城内侧和外侧均有，呈覆斗形，有的距离长城几百米，有的紧挨长城，有的保存完好，有的濒临消失。

隆庆和议以后，明蒙关系发生了历史性的转变，明朝政府在各个地段的长城沿线设置了多处互市场所，开启了明蒙双方经济、文化交流的新时代，长城也成为了明代汉族和蒙古族和睦相处、贸易往来的重要纽带。

燕北长城开先河

扫码查看
★同系列电子书
★内蒙古纪录片

　　在中国历史上，北方时局复杂多变，战火纷飞，群雄逐鹿，北方大地不断上演着攻防与征伐。为抵御和防范侵袭，自西周开始，中原地区各个朝代和政权就展开了将近两千多年的长城修筑。

　　赤峰，处于连接中原和塞外的关键地带，在历史上经受了无数政权的更迭以及难以计数的战火洗礼，攻防之间，

阴山山脉的长城边墙

历朝历代都在这里留下了一条条蜿蜒曲折的城墙。

目前，在赤峰地区，有战国时燕国、秦、汉、金等不同时期和朝代修筑的长城。这里的长城南起黑里河，北达西拉木伦河，东西贯穿，时而屹立于陡峭山巅，时而蜿蜒在草原大漠，尽管许多长城已经很难再看出当年金戈铁马的豪气，却也依旧绵延不绝，蔚为壮观。

燕北长城由东向西，主要分布于赤峰市敖汉旗、元宝山区和喀喇沁旗境内，大体沿燕山山系北麓的努鲁儿虎山和七老图山延伸，总长度为132.3公里，沿线保存烽燧40座、障城14座。

燕昭王在位期间，燕国国力达到了极盛时期，大将秦开北逐东胡，使其退却千余里。公元前290年前后，"燕亦筑长城，自造阳至襄平，置上谷、渔阳、右北平、辽西、辽东郡以拒胡"（出自《史记·匈奴列传》），相对于燕国此前沿易水北岸修筑的抵御齐、赵进犯的燕南长城，北部"拒胡"的长城一般被称作燕北长城。

燕北长城为便于攻战，墙垣大多修筑在山势险要的位置，每隔一段距离都设立有居高临下的瞭望亭，便于守卫、观察、预警。同时，在一些重要的山口设置要塞和城堡，常年驻有戍边部队，随时方便调动。在某种程度上，燕北长城开创了我国修建长城的先河，其建筑结构和营造格局，为我国后来长城的修筑提供了丰富的经验。

今日的燕北长城早已破碎残存，但是在那烽火连天、逐鹿沙场的年代，燕北长城却是维护国家安宁的重要屏障，历经风霜雨雪，依然留存在中华大地上。

女真长城金界壕

长城是古代中国在不同时期为抵御北方游牧民族侵袭而修筑的规模浩大的军事工程的统称。长城东西绵延上万华里，因此又称为万里长城。在内蒙古东部也有一条长城，它主要分布在内蒙古自治区境内，还有一小部分在俄罗斯和蒙古国，在内蒙古境内的部分由东向西贯穿呼伦贝尔市、兴安盟、通辽市、锡林郭勒盟、乌兰察布市、包头市，那就是金界壕。

金界壕

北方的女真人建立金朝后，为防御蒙古骑兵南下，开始修建界壕。金界壕始建于金太宗天会年间，最初兴筑在较为平缓的草原地带，后来继续兴筑的也多在山麓的缓坡和平地上。

　　金界壕遗址在兴安盟扎赉特旗绰尔河右岸分为两条，其南线又分出一条岔壕。三条界壕略呈"川"字形进入科尔沁右翼前旗，犹如卧龙蜿蜒于崇山峻岭、边塞重地。

　　在内蒙古自治区兴安盟扎赉特旗新林镇岗岗屯，一段呈东西走向的界壕被标注为"成吉思汗边墙"。由于这里地势平坦，虽属交通要道，却无险可守，远处的群山若隐若现，坠入云雾之中，近处视野开阔，一马平川。当年蒙古骑兵旋风般地进攻，令女真人防不胜防。无奈之下，他们只有用深挖沟壕、高筑边墙的办法来防备蒙古骑兵的进攻。

　　在平坦草原修筑界壕，需要先在平地开挖壕沟，在壕沟南边用挖出来的土建筑一道墙，这道墙叫主墙。等主墙筑好了,再在其南侧挖一条内壕修起副墙,在其北侧挖上外壕。这一套工程下来,整个界壕的宽度已逾 50 米。通过计算,任何一匹马在 50 米左右的距离内,连续做 4 次腾空跳跃并翻墙过堑是不可能的。因为战马没有助跑很难翻过主墙,即使能够翻越主墙,但副墙和内壕也会让来者跌入壕中。

为了万无一失,女真人在壕内侧又筑有城堡且两城相连。城墙上的士兵搭弓射箭,对付那些侥幸冲过来的骑兵。城内的士兵做后备队,与城墙上的士兵相互策应,随时准备参加战斗。

近代著名学者王国维在《金界壕考》中提到:"界壕者,掘地为沟堑,以限戎马之足;边堡者,于要害处筑城堡以居成人。"由此可见，界壕的主要目的不是阻止敌人进入，而是增加敌军进攻的难度和延缓其进军的速度，与其他朝代修筑高大的边墙阻挡敌人有着本质的不同。

壕堡内的汉族居民习惯称金界壕为"旧边""老边""边墙""边壕"等，达斡尔族人习惯称为"乌尔科"，蒙古族称为"夫尔穆"。

研究学者们普遍认为，金界壕总体走向有两道：北线起于大兴安岭北麓，由根河南岸西行，穿呼伦贝尔草原，经满洲里市北到俄罗斯，再向西到达蒙古国肯特省德尔盖尔汗山以北的沼泽地中，全长约700公里；南线从东北起自嫩江西岸莫力达瓦达斡尔族自治旗尼尔基镇北约 8 公里嫩江西岸的前后七家子村，西南止于包头市东黄河北岸，这条长城除两端为单线外，中间还分内（南线）、外（北线）、中三线和另外三条支线。

在蒙古高原东北部横跨中国、俄罗斯、蒙古国三国的长城是金界壕岭北线。金界壕岭北线全长 700 多公里，东起自内蒙古额尔古纳上库力村，向西经俄罗斯后贝加尔，然后由内蒙古满洲里市、新巴尔虎右旗入蒙古国肯特省乌勒吉河源，是为防止居住在贝加尔湖以东的乌古、敌烈、黑车子室韦等族的侵扰而修的一道边墙，是中国最北边的长城。

金界壕南线是金代明昌年间兴筑的，东北端起点在今内蒙古莫力达瓦达斡尔族自治旗七家子村南，与北线的东北端起点相距约 3.5 公里，西行约 15 公里至北边墙壕村与北线相接。自北边墙壕村西南行经阿荣旗、扎兰屯市南境，再向西南行经扎赉特旗北部，再由西南行经科尔沁右翼前旗满族屯村，长约 500 公里地段，基本上沿用原有北线，只局部改造成双壕双墙。

　　自满族屯村起自西南伸延的南线，全部是后期挖掘的，向西南行经科尔沁右翼中旗、扎鲁特旗、阿鲁科尔沁旗、巴林左旗、巴林右旗，再向西经林西县凌家营子、板石房子等地，再向西行经克什克腾旗北部，再折向西南经正蓝旗、正镶白旗、镶黄旗，至商都县北部的冯家村折向西行，再经察哈尔右翼后旗北部、苏尼特右旗南境，再折向西北行至四子王旗鲁其根与北线相汇，而后继续西行，至达尔罕茂明安联合旗额尔登敖包折向西南行，再行至武川县三份子村折向东南行，行至武川县后石背图村至磁窑村，再折向西南行，至土城子村又折向东南，行至上庙沟村南的大青山北麓终止，也就是金界壕西南端的终止点。总计南线全长 1652 公里，呈东北至西南走向，其中武川县三份子村至后石背图村间一小段，为西北至东南走向，是利用汉外长城遗迹改造的，所以形成"之"字形走向。

　　边堡关隘是金王朝戍边军队的驻屯地，按形制和地理位置的不同，分为戍堡、边堡和关城三种。戍堡大多位于界墙内侧，并借长城为一面堡墙，另筑其他三面墙，也有独立成堡的，平面一般呈方形，边长 30~40 米，是戍卒居住的地方。边堡位于界墙之内，选择河谷交汇处台地上修建，与界墙的距离视地形而远近不一，平面为正方形，边长 120~180 米，墙外加筑马面，一般在南墙正中开一门，个别加筑瓮城，堡内中央夯筑一高台建筑，为军官办公居住处，高台建筑周围为士兵居住处。关城设在长城界壕穿过交通要道之处，往往处在河谷开阔地，长城上开设一口，外筑瓮城，长城内侧加筑三面围墙，边长 30~40 米，关城内不设住宅建筑。

金界壕的防卫体系，较前代长城更显完备和适用，其壕、墙并列，能更好地防御蒙古骑兵，主、副墙并列及与戍堡、烽燧的配置、设计布局也更为合理。金长城对前代长城有进一步的发展，也为明代长城所借鉴与沿袭。

如今，气势磅礴、规模巨大的金界壕遗迹依然迤逦于广阔草原，历经 800 多年风霜雪雨，见证了数不尽的历史沧桑，成为了古代北方游牧民族创造的珍贵文化遗存。

古代高速秦直道

扫码查看
★同系列电子书
★内蒙古纪录片

　　如果说长城是一面阻挡匈奴进攻的盾牌，那么秦直道就是插入匈奴腹地的利剑。

　　公元前 212 年，秦始皇在北方修建了"直道"这一古代军事"高速公路"。直道起于都城咸阳附近的云阳，直达长城最北端的九原郡。秦王朝的骑兵从云阳出发，在直道上急行三天三夜，即可

鄂尔多斯市秦直道遗址

秦直道

驰骋在阴山脚下，北击匈奴。

　　在当时，就连修建一条普通的乡间公路都可谓是一项极其浩大的工程，更何况这条直道竟然修在沟壑满布的黄土高原和连绵起伏的群山之上，备八百里加急的行军所需，其标准相当于一条现在的二级公路。

　　秦始皇的强权，最终实现了这个不可能完成的任务。现代人也许无法想象当时的艰辛，其修建竟要耗费大量人力，并由秦朝大将蒙恬亲自率领修建，耗时多年才完成。

建成后的秦直道成为打通中原和塞北的一条大动脉，发挥了举足轻重的作用。在历次与匈奴的激烈战争中，中原王朝的后勤保障都是重中之重，成千上万吨的军需物资都要靠这条大动脉的运输才能完成，从而保障战争的胜利和中原王朝的巩固。

秦直道的建成，解决了令秦始皇头痛的后勤保障问题。但是真正让直道大显神威的，却是在汉代和唐代。

西汉汉武帝元封年间，汉武帝曾亲率骑兵浩浩荡荡沿直道北上，出击卷土重来的匈奴；唐朝武德年间，李世民率领军队北征，沿直道北上抗击突厥。在漫长的历史长河中，秦直道对维护中原王朝的安全，曾经起过不容忽视的作用。

而在更多的动乱年月里，阻挡北方骑兵的长城一次次地被游牧骑兵越过，直道也成了南下的游牧骑兵的进攻通道。

后来，秦直道从军用设施转为民

用，潜能以更大的限度发挥出来，并惠及后代子孙。北方的牛羊和中原的器物、丝绸被运输其间，不但促进了南北的贸易往来，也拉近了彼此的距离，增进了各个民族之间的情感。此后，秦直道沿线成为商贾云集、贸易往来不断的繁华之地。

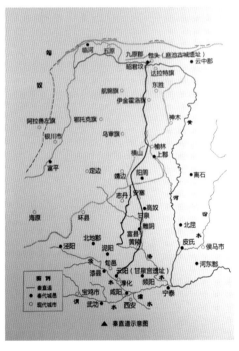

秦直道线路图

然而，随着北方局势的稳定，秦直道也进入了萧条时期。而今，从秦朝故都咸阳的军事要地云阳林光宫（今陕西省淳化县梁五帝村）到九原郡（今内蒙古包头市西南孟家湾村），在直道沿线上，至今已没有一处完整的遗迹。所到之处人烟稀少，尽是荒芜。

洗尽历史的铅华，秦直道已不复当年的风采，不过在这萧条景象的背后，我们更应关注的是历史沧桑背后的精神，是那种克服困难、创造奇迹的精神，这种精神一直在影响着修建秦直道的后世子孙们。

「高能预警」数烽燧

烽燧也就是通常所说的烽火台，先秦时，白天燃烟叫烽，夜晚放火叫燧。这是古代传播军事信息最快的手段，每当边疆出现了紧急情况时，边防士兵就可以点燃狼烟，而这种狼烟就像接力棒一样很快传播到了都城。秦朝法律规定"燔燧之事，虽毋令符，行也"。也就是当有烽火通报敌情（即情况紧急的时候），如果没有虎符，也可以采取行动。

呼和浩特市清水河县的箭牌楼

丰镇市隆盛庄明长城遗址

不过，烽燧系统只是一种警报系统，它本身不能传递具体的军事信息，如敌人的数量和作战命令等都无法传播。

2010年10月，鄂尔多斯长城调查队的队员们在准格尔旗羊市塔纳林庙、松树墕、川掌、大路峁等地，由南向北发现了20多座烽火台，形成了一条完整的烽燧线，这里的烽火台均由黄土夯筑而成，每隔2.5~5公里一座，登上一座，方能望见下一座，一座座烽火台绵延相连，分布于大约500平方公里的区域内。

在烽燧线东南端，分布有宋代城址三座，分别为丰州故城、永安砦和保宁砦，相互呈"犄角"之势，三座古城的西、北、南三面均有烽火台遗址分布。

唐、宋、西夏、辽、金、元各代都曾在今内蒙古地区设置过丰州，其中，唐丰州城址在今巴彦淖尔市，辽、金、元丰州城址在今呼和浩特市，宋、西夏丰州城址在今鄂尔多斯市准格尔旗境内。

准格尔旗南部宋代烽燧线的发现和确认，是鄂尔多斯市全国长城资源调查工作的重要发现，为研究鄂尔多斯的北宋、西夏、契丹社会发展史、关系史、民族史、战争史、长城史等方面，具有不可替代的重要价值和地位。

2020年4月，与准格尔旗相距大约600公里的阿拉善左旗诺尔公苏木查干敖包嘎查境内，阿拉善盟文物局的工作人员在进行文物安全巡查时，又新发现了11处烽燧遗址，加上该地区之前进行长城资源调查时发现的3处汉代烽燧，目前已发现共计 14 处烽燧遗址。

这 14 处烽燧遗址，间隔都在 4 公里左右，自西北向东南，沿巴丹吉林沙漠与腾格里沙漠连接线东缘，经当地达理克庙向豪斯布尔都方向延伸，形成了完整的烽燧线。

此次烽燧遗址的发现，可以初步判断该列燧（列燧是指排列起来连点成线的烽火台）的大致方向为向南进入今甘肃省石羊河下游地区。阿拉善地区自汉代以来，长城边塞防御体系"三纵（东部的贺兰山西麓列燧，中部的笋布尔列燧、雅布赖列燧和此次发现的列燧，西部居延边塞）、三横（北部巴丹吉林至乌兰布和沙漠线以北城障列燧，中部狼山余脉北部至温图高勒一线城障列燧和南部腾格里沙漠南缘至陇首山北麓列燧）"的构架更加清晰。

该列燧的发现，进一步证明了阿拉善地区自古以来就有承接南北和东西的大通道作用。

后　记

在中国版图上，内蒙古自治区如厚实的脊梁挺立在北方。这里有壮丽神奇的自然风景、独具魅力的人文景观、特色浓郁的民俗风情、丰富多元的旅游文化；这里的人民团结一心，在中国共产党的正确领导下，沿着中国特色社会主义道路不断前进，经济社会发展实现历史性跨越。

内蒙古人民出版社组织策划的这套全方位展示内蒙古风采的《"亮丽内蒙古"文化普及口袋书》，在内蒙古自治区党委宣传部和内蒙古出版集团的精心指导和大力支持下，成功立项并入选"亮丽内蒙古"重点图书出版工程。能够参与丛书的编写，我深感荣幸，感谢内蒙古人民出版社给我提供了这样的机会。

由于时间仓促，加之笔者水平有限，书稿不尽完美，在编校出版过程中，内蒙古人民出版社民族历史文化读物出版中心的编辑老师付出很多心血，她们认真负责、精益求精，使丛书在短时间内保质保量出版，在此，对各位编辑老师表示深深的谢意。

希望这套口袋书可以向读者展示一个真实生动、色彩斑斓的内蒙古，让更多的人了解内蒙古、认识内蒙古、爱上内蒙古。

编者

2021 年 9 月于呼和浩特市

后记